Shelly

va a una

fiesta

por Kentrell Martin

Shelly's Adventures

Al lector

A lo largo del libro, las manos de Shelly demuestran cómo cada palabra resaltada se seña usando el lenguaje de señas americano (ASL, por sus siglas en inglés). Encontrarás el alfabeto al final de este libro.

Shelly va a una fiesta por Kentrell Martin.
Traducido por Lilly Lauga
Este libro ha sido traducido al español de la versión original en inglés, *Shelly Goes to the Fiesta*.
También en la serie *Las aventuras de Shelly* (Shelly's Adventures Series): *Shelly Goes to the Zoo, Shelly's Outdoor Adventure, Kasey's First Day of Basketball Practice* and *Shelly Goes to the Bank*

ISBN: 978-0-9851845-8-2 (de tapa dura)
ISBN: 978-0-9851845-9-9 (de bolsillo)
ISBN: 978-0-9851845-4-4 (de tapa dura en inglés)
ISBN: 978-0-9851845-6-8 (de bolsillo en inglés)
Número de control en la Biblioteca del Congreso: 2020911872

Publicado por Shelly's Adventures LLC
Sitio web: www.shellysadventuresllc.com

Impreso y encuadernado en los Estados Unidos de América

Diseño del libro por Jill Ronsley, Sun Editing & Book Design, www.suneditwrite.com
Ilustrador: ePublishingeXperts

Shelly's Adventures LLC fue creado para proveer a niños y sus padres con material de lectura que les enseña el languaje de señas americano (ASL). Shelly's Adventures LLC produce materiales para que niños, padres y maestros disfruten aprendiendo las señas.

A lo largo de la historia, María introduce sus amigos
a los miembros de su familia, a quienes ama profundamente.
Yo, como María, dedico este libro
a mis familiares, a quienes amo mucho.

«María nos llevará a una fiesta en casa de su abuela», dice Shelly.

«Estoy emocionada por conocer la familia de María», dice Amber.

«¡Yo también!», dice Kasey. «Estoy emocionado por llegar a la pista de baile y enseñarle a todos mis pasos». Baila unos pasos para darle a las chicas un vistazo de sus habilidades y termina con un dab. Todos se echan a reír.

«Me alegra que todos vengan a la PARTY hoy», dice María.
«Pensé que íbamos a una fiesta», dice Amber.

«Sí, iremos a una», dice María.
«PARTY significa fiesta en inglés».

«¡Party, party! Voy a una party, party»,
canta Kasey, nuevamente bailando.
«¿Cómo se dice familia en inglés?», pregunta Shelly.

«La palabra en inglés para familia es FAMILY», dice María. Amber se vuelve hacia Shelly y pregunta, «¿Cómo es la seña para 'familia' en el lenguage de señas americano?».
Mientras caminan hacia la fiesta en casa de María, Shelly les enseña la seña para FAMILIA.

La seña ASL de la **F** con ambas manos. Luego redondeas ambas manos hasta que toquen.

«¡Tengo una idea!», exclama Kasey. «Por cada palabra que María nos enseñe en inglés, Shelly nos puede enseñar la misma palabra en el lenguage de señas americano».
«¡Esa es una súper idea!», dice Amber.

«¡Por supuesto! Soy un chico inteligente», dice Kasey.

Ellas, al verlo, empiezan a reírse. «Sí, esa es una buena idea», dice Shelly entre risas. Se ríen mientras Kasey baila y hace dabs.

En la fiesta, las dos primeras personas que Shelly ve son un hombre con una corbata gris y una mujer con un sombrero grande color rosa.

«¿Ellos son tus padres?», le pregunta.

«Sí, ella es mi MOM», dice María.
«Y mi DAD está junto a ella, con la corbata gris».

Shelly les muestra las señas para MAMÁ Y PAPÁ.

«Papá»
Mano abierta en la frente
«Mamá»
Mano abierta en la barbilla

«Creo que puedo acordarme de las palabras en inglés y las señas»,
dice Amber. La mirada de Kasey va directo a la pista de baile.
«¿Quiénes son ellas?», pregunta. «Bailan muy bien».

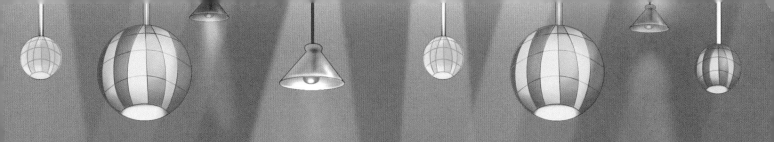

«Son mis COUSINS», dice María.

«¿Cousins? ¿Eso significa chicas bonitas?», pregunta Kasey.

María y Shelly sueltan una risa.

«COUSINS es la palabra en inglés para primas», dice María.
Shelly les muestra la seña para PRIMAS.

«Prima»
Coloca la mano en
forma de C al lado
de la cabeza y gira
hacia adelante
y atrás

«Parece que alguien la está pasando bien», dice Amber, volteando su cabeza hacia un hombre mayor en la pista de baile.

«¡Sí, lo está! El abuelo de alguien se divierte en la pista de baile», dice Kasey. Él comienza a cantar, «¡Baila, abuelo! ¡Baila, abuelo!».

¡Baila, abuelo!

¡Baila, abuelo!

«¡Ya para gracioso!», dice María, riéndose. «Pero tienes razón.
Él es mi abuelo. En inglés lo llamo GRANDPA».
«Así es la seña para ABUELO
en ASL», dice Shelly.

«Abuelo»
Mano abierta
en la frente y luego
mueves la mano
hacia afuera en dos
arcos pequeños.

Una mujer mayor, de blusa manga larga color rosa, camina hacia la pista de baile y comienza a bailar con el abuelo de María.

«¿Ella es tu abuela?», pregunta Amber.

«Sí, ella es mi GRANDMOTHER», dice María.
Shelly seña ABUELA.

«Abuela»
Mano abierta en la barbilla
y luego mueves la mano
hacia afuera en dos
arcos pequeños.

«Se ven deliciosos», dice Shelly al pasar por una mesa
llena de bocadillos, ensaladas y postres.

«¡Seguro que sí!», dice Kasey. «¡Y cuando menos
acuerden estarán todos en mi boca!».
«¿Quién hizo toda esta comida?», pregunta Amber.

«Mi tía y tío», dice María. «AUNT hizo todos los postres y las empanadas en este lado de la mesa...

...y UNCLE hizo los platillos de carne al otro lado de la mesa».

«¿Tu tía se llama Aunt y tu tío Uncle?», pregunta Kasey.

«No, Kasey. En inglés AUNT significa tía y UNCLE significa tío», dice María. «Ellos son hermanos de mi mamá».

Shelly les muestra las señas para TÍA y TÍO.

«Tía»	«Tío»
Haz la seña **A** junto a la barbilla y muévela en círculos pequeños.	Haz la seña **U** y muévela en círculos pequeños al lado de la cabeza.

Cada uno toma un plato, un tenedor y una cuchara, se sirven, y luego se sientan a la mesa.

En cuanto Kasey prueba el primer gran bocado de su empanada, grita, «¡Esos niños necesitarán de un buen baño!». Shelly, María y Amber se voltean para ver de quiénes habla.

María sonríe. «Ese es mi BROTHER menor de la camisa azul, y la del sombrero púrpura es mi pequeña SISTER. ¡Mi hermanito y hermanita!».

Shelly les muestra las señas para
HERMANO y HERMANA.

«Hermano»
La mano en seña
de L en la frente
que se convierte en
mano en seña de I
mientras mueves la
mano hacia abajo.

«Hermana»
La mano en seña de **L** al lado de la cara que
se convierte en mano en seña de **I**
mientras mueves la mano hacia abajo.

Cuando salen, ven un pequeño grupo de personas conversando y sonriendo.

«Parece que ha llegado el resto de tu familia», dice Shelly.

María presenta a sus amigos a toda su familia.

Para cuando la party
ha terminado, se han
reído, comido muchos
bocadillos, y bailaron...

hasta...

que aparecieron
las primeras
estrellas en
el cielo.

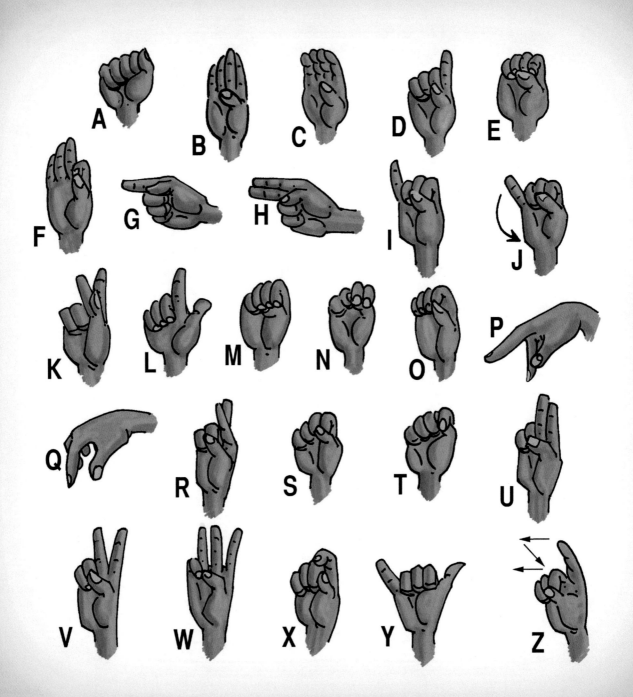

El alfabeto en inglés

A B C D E F G

ei bi si di i ef yi

H I J K L M N

eich ai yei key el em en

O P Q R S T

ou pi kiu ar es ti

U V W X Y Z

iu vi doubl iu eks uai zi

Libros de la serie Las aventuras de Shelly

LIBROS ILUSTRADOS

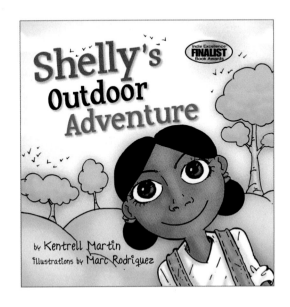

LIBROS DE CAPÍTULOS

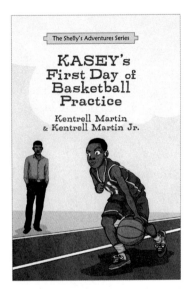

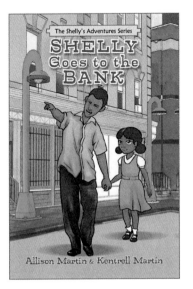

¡Pronto más títulos por Kentrell Martin!

Visítanos

Visita nuestro sitio web www.shellysadventures.com para aprender más sobre Shelly's Adventures y para inscribirte en nuestra lista de correo y recibir las últimas ofertas.

Visita www.shellysadventuresacademy.com para aprender más sobre Shelly's Adventures ASL Academy.

Visita la página Youtube del autor Kentrell Martin https:// www.youtube.com/user/ShellysAdventuresLLC.

Si deseas invitar a Kentrell a tu próximo evento, favor manda un correo electrónico a booking@shellysadventures.com.

Si tienes un momento, por favor déjanos una reseña en Amazon para saber cómo te gustó el libro.

Made in the USA
Middletown, DE
28 September 2021